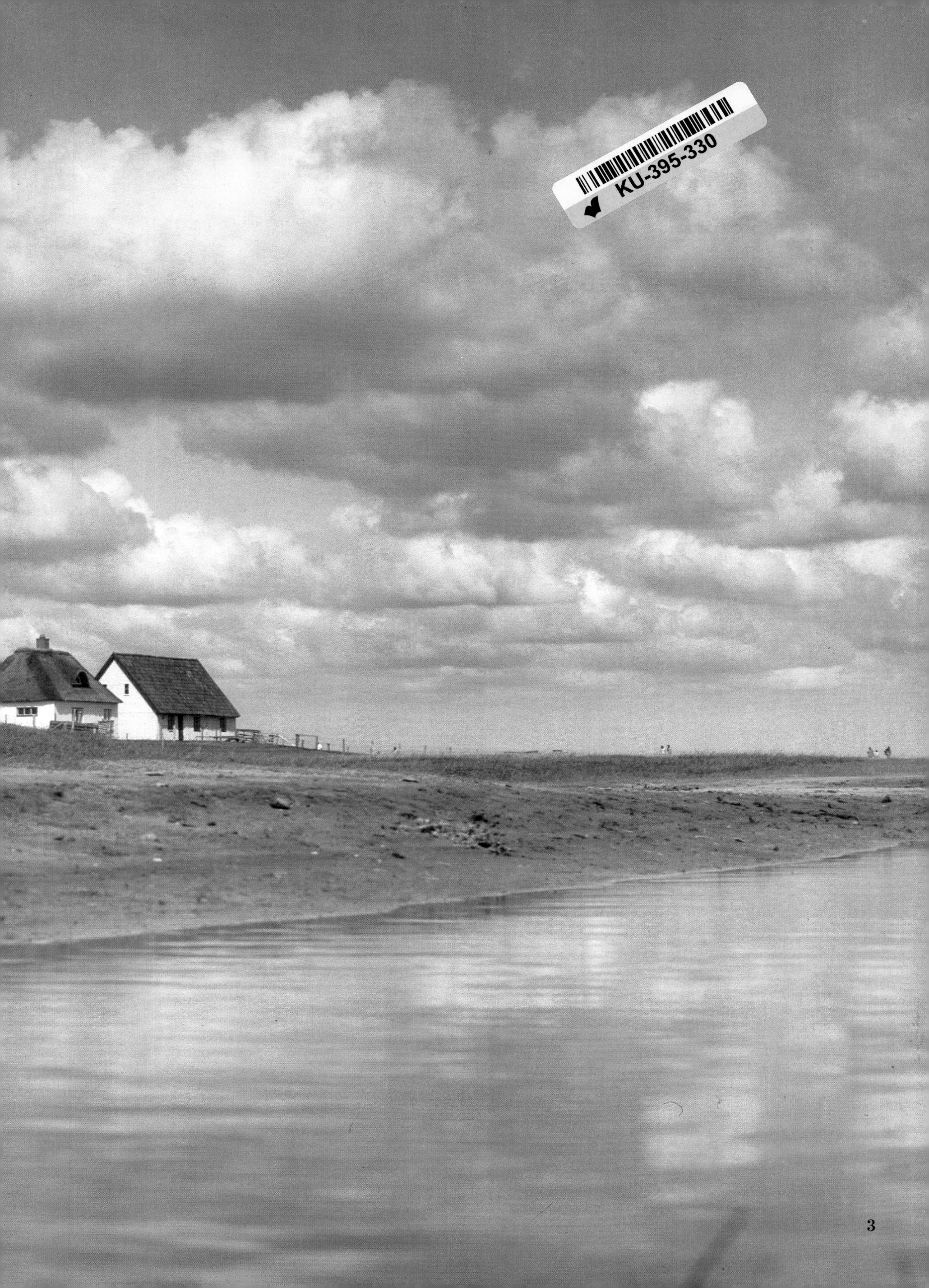

SCHLESWIG-HOLSTEIN

Color Collection Länder

COLOR COLLECTION GMBH, D-8036 HERRSCHING/AMMERSEE

Land der Wikinger

Wechselvoll wie die Landschaft ist die Geschichte Schleswig-Holsteins, des nördlichsten Bundeslandes, das im Norden Dänemark und im Süden die Elbe zur Grenze hat. Mehr als 20 000 Jahre läßt sich die Kultur des Landes zwischen den Meeren zurückverfolgen, und zahlreiche Funde in den Museen des Landes zeugen von dem Kulturkreis seiner Ureinwohner, der sich von Südschweden über Dänemark bis nach Niedersachsen und Mecklenburg erstreckte.

Im 7. und 8. Jahrhundert drangen die Normannen, auch Wikinger genannt, bis nach Jütland vor und verdrängten die dort lebenden Angeln, Sachsen, Jüten und Heruler.

Germanen nannten die antiken Schriftsteller die Bewohner Nordeuropas, die sich am Ende der jüngeren Steinzeit aus den Nachkommen der Trinkbecherkultur entwickelt hatten. Über die Jahrtausende hinweg breiteten die Germanen sich dann über ihr ursprüngliches Siedlungsgebiet hinaus aus. Während die Nordgermanen in ihren heimatlichen Gefilden blieben, siedelten sich die Ostgermanen an Oder und Weichsel an und zogen dann weiter nach Süden, während die Westgermanen nach West- und Süddeutschland vordrangen.

Die Angeln hingegen besiedelten das mittlere und nördliche England und gaben dem „Angelland", dem heutigen England, seinen Namen, während die verdrängten Sachsen und Jüten Südengland besiedelten und sich mit der dort lebenden keltischen Bevölkerung vermischten.

Lange war das Schicksal Schleswig-Holsteins in der jüngeren Geschichte mit den Geschicken Dänemarks verbunden. Die dänische Wikinger-Siedlung Haithabu bei Schleswig wurde 934 von König Heinrich I. in einem Feldzug an der Nordgrenze des Reiches erobert und der dort residierende König Knuba gezwungen, sich taufen zu lassen. Die Wikinger waren schon früher mit dem Christentum in Berührung gekommen, denn der Benediktiner Ansgar, Hamburgs erster Erzbischof (801 bis 865), hatte seine Missionsreisen bis in den hohen Norden ausgedehnt und so zur Christianisierung ganz Nordeuropas beigetragen, daß er nach seinem Tod heiliggesprochen wurde.

Otto II., der – gerade 18 Jahre alt – am 25. Dezember 967 von Papst Johannes XIII. zum Mitkönig gekrönt worden war, gründete 975 die Grenzmark Schleswig, das Land zwischen Schlei und Eider. In der Zeit des dänischen Großreiches unter Knut dem Großen, dessen Herrschaftsbereich von Norwegen über Dänemark bis nach Schottland und England reichte, wurde Schleswig an Dänemark abgetreten und dem Reich im Norden als Südjütland bis zur Eider einverleibt. Mitglieder des dänischen Könighauses erhielten Schleswig als Herzogtum verliehen, und es gab sogar eine eigene Dynastie in den Nachkommen des dänischen Königs Abel, die jedoch 1375 ausstarb. Ihre Erben waren die Grafen von Schauenburg. Die Herrschaft der Schauenburger begann 1111, als Lothar von Supplingenburg von Sachsen, der spätere deutsche Kaiser Lothar III., Graf Adolf von Schauenburg das Land Holstein und Stormarn verlieh. Graf Adolfs Nachfolger, Adolf II., eroberte Wagrien, er christianisierte und besiedelte das Land und legte 1143 an der Trave die Stadt Lübeck an, die ihren Namen von der 1138 zerstörten wendischen Siedlung Liubice erhielt.

Lübeck war die erste deutsche Stadt an der Ostsee, eine Kaufmannssiedlung, die als Bollwerk gegen die slawischen Obodriten errichtet wurde. Die Obodriten, die die Ostküste Holsteins beherrschten, waren ein slawischer Stamm um den Schweriner See, die zwar unter Otto I. unterworfen wurden, aber zum Heidentum zurückgekehrt waren. Erst Herzog Heinrich der Löwe, Herzog von Sachsen und Bayern, konnte in einem Kreuzzug 1147 erreichen, daß der Obodritenfürst Niklot sich taufen ließ. Als Heinrich der Löwe seinem Kaiser Barbarossa jedoch die Gefolgschaft verweigerte, wurde er 1180 in Acht und Bann gelegt. Heinrich, der in einem bewaffneten Aufstand gegen den Kaiser unterlag, verlor nicht nur das Herzogtum Bayern, das an die Wittelsbacher fiel, auch das sächsische Territorium wurde aufgeteilt.

Die Stadt Lübeck, die der Schauenburger Graf Adolf II. von Holstein an Heinrich den Löwen hatte abtreten müssen, fiel nun an den deutschen Kaiser. Barbarossa bestätigte Lübeck seine unter Heinrich dem Löwen erworbenen Rechte und Privilegien und erhob die Stadt zur kaiserlichen freien Reichsstadt.

Die Schauenburger

Die „Waldemarszeit" von 1157–1375 hatte in Dänemark zu einer starken Festigung der äußeren Macht und des inneren Friedens geführt. In ihrer starken Expansionspolitik eroberten die Dänen unter Waldemar dem Großen (1157–1182) nicht nur die von Wenden bewohnte Insel Rügen, sie siegten auch in der Schlacht von Stellau über das holsteinische Heer. Der Schauenburger Graf Adolf III. von Holstein mußte das Land verlassen, das nun unter dänischen Einfluß geriet. Erst Adolf IV. gelang es, in der berühmten Schlacht von Bornhöved (bei Segeberg) am 22. 7. 1227 die Dänen zu besiegen und damit gleichzeitig den Zusammenbruch ihrer Vormachtstellung in Nordeuropa einzuleiten.

Der Nachfolger Waldemars des Großen von Dänemark, Waldemar II., hatte mit Unterstützung des Herzogs von Lüneburg Dithmarschen erobert und war in Rendsburg einmarschiert. Außerdem belagerte er Itzehoe und Segeberg. Unter der Führung von Graf Adolf IV. marschierten die norddeutschen Fürsten – unterstützt von Hamburg und Lübeck – gegen die Dänen auf und besiegten sie. Nach dem Tode von König Waldemar II. folgten in Dänemark wieder Zeiten der Bürgerkriege und der inneren Zerrissenheit, und die Macht der Krone sank durch die andauernden Kämpfe mit dem Adel und der Kirche. Der mächtigste der Holsteiner Grafen von Schauenburg, Gerhard der Große, setzte sich im Kampf mit dem schwachen Christoph II. von Dänemark durch und ließ seinen Neffen, Waldemar von Schleswig, auf den dänischen Thron erheben. Als König Waldemar III. von Dänemark dankte dieser seinem Onkel dadurch, daß er den Holsteiner Grafen in der „Constitutio Valdemariana" mit dem Herzogtum Schleswig belehnte. Zum erstenmal in der Geschichte waren damit Schleswig und Holstein vereint. Gerhard der Große, Graf von Holstein, konnte sich auch unter dem Nachfolge-Herrscher behaupten und Schleswig-Holstein als Einheit bewahren. Bei einem Feldzug gegen aufständische Jüten wurde Gerhard der Große von dem dänischen Ritter Niels Ebbesen ermordet.

Auch in den nachfolgenden Jahrzehnten ging es nicht gerade friedlich zu im Norden Deutschlands.

Der neue dänische König Waldemar IV. Atterdag (1340–1375) eroberte verlorene Territorien zurück, stellte die gesunkene Macht der dänischen Krone wieder her und stritt sich mit der deutschen Hanse herum. Doch an dieser kriegerischen Kaufmannsgilde biß er sich die Zähne aus und mußte im Frieden von Stralsund die Privilegien und die Vorherrschaft der Hanse in der Ostsee anerkennen. Der Nachfolger des dänischen Königs konnte nach diesem Friedensvertrag nur noch mit Zustimmung der Hanse gewählt werden.

Um die Bedeutung der Hanse zu unterstreichen, besuchte am 20. Oktober 1375 Kaiser Karl IV. mit seiner Gemahlin Elisabeth von Pommern und in Begleitung hoher Würdenträger die Stadt Lübeck, in der er zehn Tage verweilte. Ziel dieses Besuches war die Vertiefung der politischen Kontakte, Verbesserung der Handelsbeziehungen und Stärkung des Kaisertums.

Ein Freibeuter und Pirat, der die Meere um Schleswig-Holstein unsicher machte, fügte der Hanse nicht minder Schaden zu: Klaus Störtebeker, der zusammen mit Godeke Michels Anführer der „Vitalienbrüder" war, kaperte zunächst dänische Schiffe in der Ostsee und versorgte das von Dänen belagerte Stockholm des Schwedenkönigs Albrecht mit Vitalien (Lebensmittel). „Likendeeler" nannte man sie, als sie die Kaperfahrten auf eigene Faust fortsetzten und auch Hanse-Schiffe ausraubten, denn sie teilten die Beute unter sich zu gleichen Teilen (lieken Deelen) auf. Eine ganze Hanseflotte machte Jagd auf sie und schlug die Seeräuber bei Helgoland und an der Emsmündung. Die beiden Anführer und 150 ihrer Kumpane wurden nach Hamburg gebracht und hauchten auf dem Richtplatz am Grasbrook unter dem Schwert des Henkers ihr Leben aus. Zahlreiche Legenden ranken sich auch heute noch um die Gestalt des adligen Seeräubers.

In der Zeit der Kalmarischen Union, in der Dänemark, Norwegen und Schweden zu einem Großreich unter Erich von Pommern vereint waren, versuchte der große Nachbar im Norden immer wieder, Schleswig für sich zurückzugewinnen, doch die Schauenburger Grafen von Holstein, gestärkt durch ihr Bündnis mit der Hanse, vereitelten diese Versuche erfolgreich. 1440 wurde Graf Adolf VIII. von Holstein endgültig und erblich mit dem Herzogtum Schleswig belehnt.

Rechts: Das Holstentor ist das Wahrzeichen der altehrwürdigen **Hansestadt Lübeck** und das berühmteste und bekannteste deutsche Stadttor überhaupt. Mit 30 Kanonen bestückt, die allerdings nicht ein einziges Mal abgefeuert wurden, sollte das wehrhafte Tor den Trave-Übergang sichern. Im Innern des Tores, das die Fünfzigmark-Noten ziert, ist das stadtgeschichtliche Museum untergebracht. Concordia Domi Foris Pax – Einmütigkeit im Innern, draußen Friede – lautet die Inschrift (S. 13, unten).

Right: The Holsten Gate is the landmark of venerable **Hanseatic Lübeck** and the most famous fortification gate in Germany. 30 martial powder guns which never fired a single shot once secured the Trave river crossing. You may have noticed the famous towers, now housing the municipal museum, depicted on the German 50 Mark bank note. Concordia Domi Foris Pax – internal concord, external peace – means the inscription (page 13, bottom).

10

11

Oben: Marienkirche und Rathaus bilden den Kern der Lübecker **Altstadt-Insel,** die von der Stadt-Trave und der Kanal-Trave umflossen wird.
Rechts: Neben dem Holstentor, dem Wahrzeichen der Hansestadt Lübeck, stehen die berühmten **Salzspeicher** aus dem 16.-18. Jahrhundert.
Umseitig (S. 10 oben): Die Untertrave mit ihren historischen Häusern.
Umseitig (S. 10 unten): Der **Füchtingshof** in der Glockengießerstraße 23-27, ein Wohnstift für bedürftige und alte Mitbürger, 1639 erbaut.
Umseitig (S. 11 und 15, unten): Historische Salzspeicher an der Obertrave, wo das „weiße Gold" auf dem Weg nach Norden gelagert wurde.

Above: St. Mary's Church and Town Hall in the centre of the **old city's island** are surrounded by the forks of the Stadt- and the Kanal-Trave.
Right: Old salt **storehouses** of the 16th–18th century retaining their antique facade can be seen next to the Holsten gate, the symbol of Lübeck.
Overleaf (p. 10, top): Downstream Trave and its historical buildings.
Overleaf (p. 10, bottom): **Füchtingshof,** 23–27 Glockengießer Street, is a housing complex for aged and needy people, provided by a charitable foundation in 1639.
Overleaf (p. 11 and 15, bottom): Historical salt storehouses on the upstream Trave.

CONCORDIA DOMI FORIS PAX

13

Up ewig ungedeelt

1448 wurde Christoph III., Pfalzgraf bei Rhein und Herzog in Bayern, als Christoph I. König von Dänemark, Schweden und Norwegen. Christoph I. konnte die Kalmarer Union mit den drei Reichen noch aufrechterhalten, doch nach seinem Tod 1448 zerfiel die Union, denn die Schweden wählten in Karl VIII. Knutson ihren eigenen König, die Dänen Christian I., mit dem die Dynastie des Hauses Oldenburg in direkter, nicht unterbrochener Reihenfolge bis zum heutigen Tag ihren Anfang nahm. Christian I., aus dem Adelsgeschlecht der Oldenburger, wurde 1460 in Ripen (Ribe) nicht nur zum König von Dänemark erkoren, sondern auch in Personalunion zum Herzog zu Schleswig und Grafen von Holstein und Stormarn gewählt, denn mit dem Tod von Adolf VIII. war der Mannesstamm der Schauenburger Grafen erloschen. Gewählt wurde Christian I. durch die schleswig-holsteinische Geistlichkeit, die Städte und die Ritterschaft. Und der Vertrag von Ripen, den der Schleswiger Erzdiakon Cord Cordes in niederdeutscher Sprache abgefaßt hatte, legte ein für allemal fest:

Schleswig und Holstein, „dat se blive ewich tosamende ungedeelt".

Die schleswig-holsteinischen Stände, die Christian I. ausdrücklich nur als Herzog und Grafen, nicht aber als König huldigten, hatten das Recht, den nächsten dänischen König unter der Bedingung, daß ihre Privilegien bestätigt wurden, zu wählen. Damit war die Macht der schleswig-hölsteinischen Stände endgültig bestätigt. Doch Schleswig-Holstein blieb nicht lange „ewich tosamende ungedeelt". Schon 1490 gab es die erste Landesteilung unter den beiden Söhnen von Christian I. in einen königlichen (Segeberger) und einen herzoglichen (Gottorfer) Teil. 1523 wurde Dänenkönig Christian II. mit Hilfe der Hansestädte und der Stände vom Thron vertrieben, und sein Besieger, Herzog Friedrich, zum König gewählt. Damit war die erste Teilung Schleswig-Holsteins zunächst einmal aufgehoben.

Die zweite Teilung Schleswig-Holsteins begann 1544 gegen den Protest der Stände, die ihr Wahlrecht nicht durchsetzen konnten. Geteilt wurden nicht nur die beiden Herzogtümer, sondern auch die Bauernrepublik Dithmarschen. Unter dem Dänenkönig Friedrich II. (1559–1588) gab es nun wieder zwei Herrscher in Schleswig-Holstein: die Nachkommen Friedrichs II. von Dänemark im „königlichen" Anteil, die Nachkommen Herzog Adolfs im „herzoglichen" Anteil (Gottorp).

Kriege, Fehden, Mord und Unglück begleiteten die weitere Zukunft Schleswig-Holsteins, wie überall in Europa, bis ein Ereignis nicht nur Europa, sondern die ganze Welt erschütterte: die Rebellion von 1618 der überwiegend aus Hussiten und Protestanten bestehenden Stände in Böhmen gegen die Herrschaft der Habsburger und ihrer Religionspolitik. Der Aufstand begann mit dem „Prager Fenstersturz", bei dem zwei kaiserlich-österreichische Ratsherren aus dem Fenster geworfen wurden. Es war der Beginn des Dreißigjährigen Krieges.

Dänenkönig Christian IV. hatte zugunsten der protestantischen Stände, deren Oberhaupt er war, 1625 in den Dreißigjährigen Krieg eingegriffen, um seine deutschen Territorien zu erweitern. Der deutsche Kaiser Ferdinand II. erkannte die Gefahr und mobilisierte eine neue Armee unter dem böhmischen Feldherrn Albrecht von Wallenstein, der das protestantische Heer am 25. 4. 1626 bei Dessau besiegte. Eine weitere Niederlage mußten die Dänen bei Lutter am Barenberge (im Neitetal, am nordwestlichen Harzrand) hinnehmen, als der kaiserliche Feldhauptmann Graf von Tilly das Heer Christians IV. schlug. Die kaiserlichen Truppen drangen dem Feinde bis Dänemark nach und besetzten 1627 Jütland. Im Frieden von Lübeck, am 22. Mai 1629, verpflichtete der geschlagene König sich zur Neutralität und zum Verzicht auf die Bündnisse mit den norddeutschen Fürsten. Seine norddeutschen Territorien jedoch durfte er behalten.

Doch es war nicht so sehr der Dreißigjährige Krieg, der das Land ausbluten ließ. Christian IV. unternahm auch zwei erfolglose Feldzüge gegen Schweden, um das von Dänemark abgefallene Land wieder zurückzuerobern. Der holsteinische Herzog Friedrich, der seine Politik auf den schwedischen König und gegen Dänemark abgestimmt hatte, profitierte von den Siegen der Schweden dadurch, daß seine Souveränität in den herzoglichen Gebieten von Schleswig-Holstein bestätigt und gefestigt wurde, doch wurde nun das Land von fremden Truppen überzogen, die das Volk durch Hunger und Entbehrungen dezimierten.

Rechts oben: Auf dem Marktplatz der Altstadt, dem Rathausmarkt, herrscht wochentags reges Marktleben. Sonntags bietet er Touristen ein beliebtes Fotomotiv. Das Lübecker **Rathaus** – hier die Hofseite – wurde 1230 begonnen, aber erst im 16. Jahrhundert fertiggestellt.

Above right: Rathausmarkt, the old city's market place, is a favourite spot for photographers on Sundays. During the week the square is a vivid place bustling with activity. The **City Hall** was set in about 1230 but it took until the 16th century to complete the building.

Der nordische Krieg

Im großen nordischen Krieg zu Beginn des 18. Jahrhunderts besetzten wiederum dänische Truppen das Land und bezogen die gottorfischen Landesteile in den königlichen Anteil ein. Das Haus Gottorf verlegte seine Residenz nach Kiel. Der nordische Krieg war ausgebrochen, weil sich Schweden durch ein Bündnis der drei Ostseemächte Dänemark, Rußland und Sachsen-Polen bedroht fühlte. Am 21. Januar 1720, im Frieden von Stockholm, wurde der Krieg im Ostseeraum, der auch Schleswig-Holstein so viel Leid zugefügt hatte, beendet. Schweden hatte sich verpflichtet, sich nicht mehr in die Angelegenheiten der Herzogtümer in Schleswig-Holstein einzumischen. Das Haus Gottorp-Holstein gelangte zur Berühmtheit, als 1762 der Sohn von Herzog Karl Friedrich als Peter III. auf den russischen Kaiserthron gelangte. Der Zarensohn, Fürst Paul, übertrug – um Ausgleich mit Dänemark bemüht – im Vertrag von Zarskoje Selo 1773 die auf ihn vererbten holsteinischen Besitzungen an Dänemark. Damit war das Land – diesmal unter dänischer Herrschaft – wieder vereint, und es begann die Blütezeit des „gesamtstaatlichen Jahrhunderts". Dänemark reichte im Süden nun bis zur Elbe. Altona war die dänische „Grenzstadt" zu Hamburg. 1664 hatten die Dänen den kleinen Marktflecken Altona vor den Toren Hamburgs schon zur Stadt erhoben, ihn mit Stapel-, Zoll- und Gewerbevorrechten ausgestattet und den privilegierten Hanseaten direkt vor die Nase gesetzt. Ständige Spannungen mit der Freien und Hansestadt Hamburg waren die Folge. 1768 kam es endlich zwischen dem dänischen Königshaus und dem Gesamthaus Holstein einerseits und dem Hamburger Rat andererseits zu einer Einigung – dem „Gottorper Vergleich". Danach erhielt Hamburg durch Dänemark die endgültige Anerkennung als „Kaiserlich Freie Reichsstadt". Hamburg hingegen verzichtete auf die Rückzahlung der dänischen Schulden – die Dänen standen bei Hamburg erheblich in der Kreide – und gab die verpfändeten Gebiete wie Alsterdorf, Sasel und Meiendorf wieder frei.

Am 9. Juni 1815 ging der Wiener Kongreß zu Ende, der die Neuordnung Europas nach dem Sturz von Napoleon I. beschloß. Europa befand sich im Zeichen der Restauration. Der Deutsche Bund formierte sich. Ihnen gehörten 35 souveräne Fürsten und vier Freie Städte an. Holstein wurde dem Deutschen Bund zugeschlagen, nicht aber Schleswig. Diese neuerliche Teilung führte 1848 zum deutsch-dänischen Krieg, in dessen Verlauf Deutschland auf Druck der Großmächte seine siegreichen Truppen aus den besetzten Gebieten zurückziehen mußte. Damit war aber immer noch kein Friede in Sicht. 1864 kam es erneut zu einem deutsch-dänischen Krieg. Am 18. April 1864 erstürmten Preußen die Düppeler Schanzen und besetzten die dänische Insel Alsen. Die Dänen wurden zum „Wiener Frieden" vom 30. 10. 1864 gezwungen, in dem der König von Dänemark endgültig auf seine Rechte an den Herzogtümern Schleswig, Holstein und Lauenburg zugunsten der beiden im Deutschen Bund vereinigten Großmächte Preußen und Österreich verzichten mußte. Nach der Gasteiner Konvention vom 14. August 1865 wurde Schleswig von Preußen, Holstein von Österreich verwaltet.

Nur wenige Jahre dauerte diese Zweisamkeit, bis die sich an Schleswig-Holstein entzündeten Spannungen in dem Krieg von 1866 zwischen Deutschland und Österreich entluden. Bismarck, der das ganze Schleswig-Holstein für Preußen gewinnen wollte, fand sich im Gegensatz zu Österreich, das der Forderung nach einem selbständigen Schleswig-Holstein näher stand. Am 9. Juni 1866 ließ Bismarck preußische Truppen in das von Österreich verwaltete Holstein einmarschieren. Österreich mobilisierte seine nicht-preußischen Truppen, und es kam zum deutschen Bruderkrieg. Zwölf deutsche Staaten – darunter Bayern, Hannover, Sachsen und Württemberg – standen auf der Seite von Österreich, während mit Preußen im wesentlichen die norddeutschen Klein- und Mittelstaaten verbündet waren. Außerdem hatte Bismarck sich mit Italien in einem geheimen Pakt verbündet. Damit war der Deutsche Bund zerfallen. Nach der für Preußen siegreichen Schlacht von Königsgrätz kam es zum Prager Frieden vom 23. August 1865, in dem Österreich sich mit der Einverleibung von Schleswig-Holstein in Preußen einverstanden erklärte. Mit der gewonnenen Schlacht war Preußen seinem Ziel, einen deutschen Nationalstaat unter seiner Vorherrschaft und unter Ausschluß Österreichs zu gründen, näher gekommen.

Rechts: Diese hübschen alten Fischerhäuser mit ihren Reetdächern liegen nicht in irgendeinem verträumten Dorf, sondern mitten in der Stadt Lübeck.
Umseitig (S. 18 und 19): **Travemünde,** das an der Mündung der Trave gelegene Modebad, ist das Tor nach Norden im Fährdienst mit Skandinavien.

Right: These thatch roofed fisherman's cottages stand undisturbed within the walls of the city.
Overleaf (p. 18 and 19): Fashionable **Travemünde,** located on the mouth of the Trave, has gained steadily in popularity and has become the gateway to the north through its ferries crossing into Skandinavia.

Landeshaupstadt Kiel

Graf Adolf IV., der den dänischen König Waldemar II. in der legendären Schlacht von Bornhöved bei Segeberg 1227 vernichtend geschlagen hatte, gründete um 1240 die Stadt Kiel nach dem Muster ostdeutscher Kolonialstädte mit einem zentralen Marktplatz und rechtwinklig ausstrahlenden Straßenzügen.

Obwohl Mitglied der Hanse und kraft des fast ideal zu nennenden Hafens stand Kiel immer im Schatten der freien Städte Lübeck und Hamburg. Erst, als Preußen nach der Gasteiner Konvention vom 14. August 1865 beschloß, Kiel zum Hafen des Deutschen Bundes auszubauen, erlangte die Stadt größere Bedeutung, insbesondere, als sie 1871 zum Reichskriegshafen erweitert wurde.

Aus der verschlafenen Kleinstadt wurde eine Großstadt, deren Einwohnerzahl sich in 40 Jahren auf 200 000 verzehnfachte. Des Kaisers Traum von einer maritimen Großmacht ließ Werften und Arsenale bauen, Depots und Kasernen entstehen und einen Graben quer durch das Land ziehen, von Kiel-Holtenau bis Brunsbüttel: den Kaiser-Wilhelm-Kanal.

Nord-Ostsee-Kanal heißt der künstliche Wasserweg heute offiziell, doch die Matrosen in aller Welt nennen ihn kurz „Kiel Canal". Der genau 98,7 km lange Kanal ist der meistbefahrende Seekanal der Welt. Rund 90 000 Schiffe wählen Jahr für Jahr diese Abkürzung zwischen Ostsee und Nordsee.

Am 21.6.1895 eröffnete der Kaiser mit großem Pomp nach nur sieben Jahren Bauzeit „seinen" Kanal. Grandios war auch das Bild mit den Flotteneinheiten der seefahrenden Nationen Europas, die sich zu den Eröffnungsfeierlichkeiten nach Kiel begeben hatten, obwohl Großbritannien dem Bau mit gemischten Gefühlen entgegensah, denn der Kanal war eine strategische Meisterleistung: Konnte doch die deutsche Flotte in kürzester Frist innerhalb der eigenen Hoheitsgewässer und unerreichbar für feindliche Kriegsschiffe verlegt werden.

Der Matrosenanzug wurde zur Standarduniform aller Kinder, von den Kleinsten bis zu den „höheren Töchtern", nicht nur in Kiel, sondern überall, wo Deutsch gesprochen wurde. Doch das „blaue Zeitalter" nahm ein jähes Ende, als der Funke der Revolution am 3. November 1918 von Kiel auf ganz Deutschland übersprang. Meuternde Matrosen in Wilhelmshaven, die nicht mehr zu einer völlig sinnlosen und nicht mehr entscheidenden Feindfahrt auslaufen wollten, sollten hingerichtet werden. Darauf versammelte sich in Kiel ein Demonstrationszug gegen den Krieg, das Dritte Geschwader wählte Soldatenräte, entwaffnete die Offiziere und hißte auf den Schiffen die rote Fahne.

Neuen Aufschwung nahm Kiel in der Zeit ab 1933, mit der Olympiade von 1936 als Höhepunkt, doch grausam war das Ende 1945. Die ersten Luftangriffe des II. Weltkrieges erfolgten schon im Frühjahr 1940, und 1944 verging kaum eine einzige Nacht ohne Fliegeralarm, denn die Werften produzierten U-Boote am Fließband. Der April 1945 brachte der Stadt den endgültigen Tod. Es war für Kiel der schonungsloseste und grauenvollste Monat des ganzen Krieges. Kiel gehörte zu den am meisten zerstörten Städten des Reiches. Rund 70% aller Häuser in Kiel waren zerstört oder beschädigt. Acht Jahre, hatte man geschätzt, würde es dauern, die Trümmer zu beseitigen. Doch 140 000 Helfer griffen zu Schaufel und Hacke und schafften das Wunder. 1948 gab es schon wieder die traditionelle „Kieler Woche". Heute ist Kiel nicht nur Landeshauptstadt von Schleswig-Holstein und Sitz der bereits 1665 von Herzog Christian Albrecht gegründeten und nach ihm benannten Universität. Der historische Stadtkern ist fast völlig verschwunden, lauschige, gemütliche Winkel in der durch den Krieg zerstörten Altstadt gibt es nicht. Aber Kiel ist modern geworden, ohne dem Höhenrausch anderer Städte mit ihren Scheußlichkeiten aus Stahl und Beton beim Wiederaufbau zu folgen.

Die modernen Fähranlagen des Skandinavien-Kais, die an die Stelle der Marinebrücken am Schloßgarten und an der Holstenbrücke gebaut wurden, machten Kiel zum Tor nach Norden.

1983 feierte die Stadt den hundertsten Jahrestag der Kieler Woche, die nicht mehr der Demonstration seemännischer Macht dient, sondern die Jugend der Welt in friedlichem, sportlichem Wettstreit zusammenführt. Bunt und international geht es in der zweifachen Olympiastadt zu, wenn Besucher aus aller Welt sich mit den Uniformen der „blauen Jungs" freundschaftlich zu Besuch weilender Flottenverbände vermischen.

Modebäder und Seglerparadiese liegen wie aufgeschnürte Perlen an der **Lübecker Bucht:** Timmendorfer Strand und das Ostseebad Grömitz (S. 22), Hotel Maritim (S. 21, oben), die berühmte „Passat" im Hafen von Travemünde (S. 21, unten), der malerische Fischerhafen von Niendorf/Ostsee (S. 23, oben) und die Kornspeicher von Neustadt/Ostsee (S. 23, unten), das sind nur einige Beispiele von vielen möglichen.

Lovely holiday towns, recreational resorts and a boater's paradise unfold their attractions along the **Bight of Lübeck:** Timmendorf beach and Grömitz seaside-resort (p. 22); the distinguished Maritim Hotel (p. 21, top); the oldtime windjammer ''Passat'' (p. 21, bottom); the picturesque fishing village of Niendorf (p. 23, top); or the granary of Neustadt (p. 23, bottom) are only a few attractions.

22

Hansestadt Lübeck

Mitte des 12. Jahrhunderts entstand die Hanse durch einen überörtlichen Verband von Kaufleuten. Es waren Händler und Kaufleute, die im In- und Ausland Handel trieben – von der Seine bis an die Ostsee und von der Donau bis zur Nordsee.

Sie war ein machtvolles Städtebündnis, das in der Blütezeit nahezu 200 Städte in vielen europäischen Ländern umfaßte. Wenn auch die meisten Hansestädte in Deutschland lagen, vertraten „Hanseatische Kontore" die Interessen des Bundes – von Nowgorod (heute: Gorkij) über Bergen und Brügge bis nach London.

Die Hanse war alles andere als eine pazifistische Organisation von Kaufleuten. Um ihre wirtschaftlichen Ziele zu erreichen, führten sie zahlreiche Handelskriege gegen England, Norwegen, vor allen Dingen aber gegen Dänemark, das der Hanse die Verbindung von der Ostsee zur Nordsee durch den Sund versperrte. Als die Dänen unter König Waldemar IV. 1361 gar eine ganze Hanseflotte vernichteten und die Insel Gotland besetzten, vereinigte man sich 1367 auf der „Kölner Konföderation" zum Krieg gegen Dänemark, besetzte Kopenhagen und erreichte 1370 im „Stralsunder Frieden", daß die Hanse ihre Vormachtstellung weiter festigen konnte.

Rivalität der im Bündnis vereinigten Städte, die Entdeckung neuer Erdteile und kleinbürgerlicher Eigensinn leiteten den Niedergang der Hanse ein. So bröckelten die Hansestädte nacheinander vom Bund ab. Auf dem letzten Hansetag 1669 waren nur noch sechs Städte vertreten. Die Hanse war zerfallen. Seitdem wahrten nur noch Hamburg, Bremen und Lübeck die Tradition der einstmals glorreichen Hanse.

Lübeck wurde bereits um 1300 Hauptstadt des Hanseatischen Städtebundes. Der erste Hansetag fand 1358 in Lübeck statt, und das Jahr 1370 mit dem „Stralsunder Frieden" bedeutete den absoluten Höhepunkt für die Stadt. Nach Auflösung der Hanse blieb Lübeck auch weiterhin ein bedeutender Ein- und Ausfuhrhafen an der Ostsee, insbesondere auch im Schiffsverkehr mit Rußland. Während die Eröffnung des Kaiser-Wilhelm-Kanals 1895 der Stadt schweren wirtschaftlichen Schaden zufügte, konnte nur fünf Jahre später Lübeck durch den Bau des Elbe-Trave-Kanals (Elbe-Lübeck-Kanal) seinen binnenländischen Handel bis nach Böhmen erschließen.

Den zweiten Weltkrieg konnte Lübeck einigermassen glimpflich überstehen. Nur ein einziger schwerer Luftangriff in der Nacht zum Palmsonntag 1942 zerstörte etwa ein Fünftel der historischen Altstadt. Da Lübeck als Verbindungshafen zum neutralen Schweden den Austausch der internationalen Rot-Kreuz-Aktionen übernommen hatte, blieb die Stadt von Fliegerangriffen weitgehend verschont. So konnte sich der historische Stadtkern erhalten und bietet mit seiner Geschlossenheit ein Bild, wie man es sonst nur noch in wenigen Städten Europas findet. Ein Bummel durch die Lübecker Altstadt zeigt die ganze Fülle der historischen Sehenswürdigkeiten. Weltbekannt wurde das Wahrzeichen der Stadt, das Holstentor, nicht nur, weil es den 50-Mark-Schein ziert oder als Markenzeichen für Lübecker Marzipan herhalten muß.

Die eindrucksvolle Toranlage wurde vor 500 Jahren gebaut und sollte die Stadt als Teil einer Befestigungsanlage vor Feinden schützen. Doch die 30 Geschütze, mit denen sie bestückt war, kamen niemals zum Einsatz. Das „düster gewölbte Tor", wie es der Lübecker Dichter Emanuel Geibel nannte, diente trotz der heutigen musealen Folterkammer im Erdgeschoß nie als Gerichtsstätte. Mitte des 19. Jahrhunderts hatte der Zahn der Zeit so sehr an seinem Mauerwerk genagt, daß es einzustürzen drohte und abgerissen werden sollte. Am 15. Juni 1863 beschloß die Bürgerschaft (so heißt in Lübeck das Stadtparlament) mit nur einer einzigen Stimme Mehrheit, das Holstentor doch stehen zu lassen und Geld für eine gründliche Restaurierung bereitzustellen. Die lateinische Inschrift „Concordia Domi Foris Pax" an der Außenseite des Tores bedeutet: „Eintracht drinnen, Friede draußen". Im Holstentor befindet sich heute ein stadtgeschichtliches Museum. Neben dem Holstentor stehen die sechs Salzspeicher. Sie entstanden zwischen 1579 und 1745. Zuerst lagerten die Lübecker hier Heringe. Viel mehr Geld aber gab es bald für die Kaufleute mit dem Salz zu verdienen, das in den Lüneburger Salinen gewonnen wurde. Die Lübecker holten das im Mittelalter so kostbare Gut auf Kähnen über den Stecknitzkanal oder auf dem Landweg über die alte Salzstraße in ihre Stadt und bewahrten das „weiße Gold" in den geräumigen Speichern neben dem Holstentor auf.

Rechts: Das Torhaus von Hasselburg bei Neustadt/Ostsee.
Umseitig (S. 26–29): Mächtig überspannt die **Fehmarnbrücke** als Teil der Vogelfluglinie den Fehmarnsund. Von Puttgarden, dem nördlichen Fährhafen der Insel Fehmarn, verbinden die schnellen Schiffe der Deutschen Bundesbahn und der Dänischen Staatsbahnen die Bundesrepublik mit Dänemark.

Right: The so-called Torhaus (Gate-House) near Neustadt/Ostsee.
Overleaf (p. 26–29): Following the migrating birds, the **Fehmarnsund bridge** is the connecting link between the mainland and the Isle of Fehmarn. From here the fast ferry boats of the German Federal Railways and the Danish State Railways connect Puttgarden with Denmark.

Die Frühjahrssonne verwandelt das Holsteiner Land in einen leuchtenden Teppich gelber Rapsblüten (S. 36/37). Grünes Land und blaue Seen überblickt der Besucher vom Aussichtsturm **Hessenstein/Panker** (S. 30/31). Das Plöner Schloß, heute Internat, liegt beherrschend über dem **Plöner See** (Bild oben). Rechts das Renaissance-Schloß von **Seedorf**/Kreis Segeberg. Das **Schloß Eutin,** einst Wohnsitz der Herzöge von Oldenburg, ist heute ein Museum (S. 34, oben). Das Herrenhaus von **Panker** (S. 34, unten) mit seinem englischen Garten ist wegen seiner Trakehner-Zucht weltbekannt.

In **Bad Segeberg** finden alljährlich die Karl-May-Festspiele statt (S. 35).

Page 36/37: The rays of a strengthening sun encourage the yellow canola to usher in Holstein's sweetest season of the year.

Page 30/31: Wisps of green grass and cereals turn the land into colourful fields. A view from the **Hessenstein (Panker)** gothic look-out.

Above: The Plön castle on the **Lake of Plön.**

Right: The manor house of **Seedorf** (District of Segeberg), a beautiful Renaissance building.

Page 34: **Eutin castle** (top) and **Panker** (bottom) with its beautiful English Garden; the world famous Trakehner stud-horses are bread here.

Page 35: **Bad Segeberg** is host of the annual Karl May festivals.

34

Seiten 40–47: **Kiel** ist die Landeshauptstadt von Schleswig-Holstein und Sitz der Landesregierung. Das Rathaus am Kleinen Kiel (S. 38) und die Nikolaikirche am Alten Markt (S. 39) wurden im II. Weltkrieg stark zerstört. Heute ist der ehemalige Reichskriegshafen das Tor zu Skandinavien und Heimathafen der **Gorch Fock** (oben). Rechts der Skandinavienkai mit den Fährverbindungen nach Dänemark, Norwegen und Schweden. Für Freunde des Wassersports bietet die zweimalige Olympiastadt mit der Kieler Förde ein ideales Betätigungsfeld, ein Seglerparadies für Skipper und Freizeitkapitäne.

Pages 40–47: **Kiel** is the capital of Schleswig-Holstein. As well as performing its legislative functions the city serves as the financial and legal centre of the state. The City Hall (p. 38) and St. Nikolai Church (p. 39) were heavily destroyed during World War II. Kiel, formerly the Reich's naval port, now serves as the maritime gate to Skandinavia and home base for Germany's pride of the sea: **Gorch Fock** (above). From the Skandinavian-Wharf ferry services ply between Germany, Denmark, Norway an Sweden. For boaters the olympic bight of Kiel is a favorite domaine for sailing boats and power craft.

Umseitig (S. 42, oben sowie S. 46 u. 47): Zur traditionellen **Kieler Woche** kommen jährlich viele Marineeinheiten aus aller Welt an die Förde. Segelsportler messen sich bei dieser jährlichen Mini-Olympiade in friedlichem Wettbewerb.

Umseitig (S. 43, oben): Auch um die Wette angeln im Kieler Hafen „alte Hasen" und „Kieler Sprotten".

Umseitig (S. 42 und 43, unten): Die Werften waren einst Kiels Lebensnerv. Links ein U-Boot vor den Howaldtswerken/Deutsche Werft, rechts eine Schlepp-Bohrinsel im Nord-Ostsee-Kanal.

Oben: Der **Nord-Ostsee-Kanal** ist der meistbefahrene künstliche Schiffahrtsweg der Welt.

Rechts: Der Bülker Leuchtturm an der Kieler Förde.

Overleaf (p. 42, top, and 46–47): The traditional **Kieler Week** is a Mekka for navies and sailors from all over the world. They compete annually in their own mini-olympic games.

Overleaf (p. 43, top): Experienced experts and hopeful youngsters compete with each other.

Overleaf (p. 42 and 43, bottom): The Original prosperity of Kiel was derived from the shipyards. Left a submarine in front of the Kiel shipyards, right an oil rig with its tug in the Kiel Canal.

Above: The **Kiel Canal** is the most frequented man-made waterway in the world.

Right: The Bülker light-house at the entrance of the Kiel Fjord.

47

Umseitig (S. 48/49): ,,Holsteinische Schweiz'' nennt man
das grüne Land mit den bunten Wäldern und den blauen
Seen um **Plön** (im Hintergrund das Plöner Schloß). Ein
attraktives Urlaubserlebnis ist eine romantische Fahrt mit
dem Ausflugsboot auf den fünf Seen: Dieksee, Langensee,
Behler See, Höftsee und Edebergsee mit Anschluß an den
Großen Plöner See.
Oben: Diese alte Windmühle von 1828, ein begehrtes
Fotomotiv, steht in **Farve**/Oldenburg.
Rechts: Betonsilos, ein künstlich angelegter Hafen, aber
auch ein langer Natursandstrand sind die Merkmale von
Damp 2000, dem Ostseebad aus der Retorte, das 1973
fertiggestellt wurde; Ostsee modern.

Overleaf (p. 48/49): The area surrounding **Plön** with its
colourful woods and blue lakes is called ''Swiss Holstein''.
In the background you can see the Plön castle. The five
lakes: Dieksee, Langensee, Behler See, Höftsee and
Edebergsee provide for romantic boat trips while on
holiday here. The lakes are connected with the Great Lake
of Plön (Großer Plöner See).
Above: This old windmill from 1828 is a popular object for
photographers and can be found in **Farve**/Holstein near
Oldenburg.
Right: The newly built harbour and vacation centre
''Damp 2000'' was completed in 1973. The vast natural
sandy beach has always been an attraction.

Oben: **Eckernförde** ist ein beliebtes Ostseebad mit verträumten, engen Gassen in der Altstadt. Die Fischkutter bringen täglich frischen Meeressegen zu den zahlreichen Räuchereien, wo man Bücklinge, Makrelen und Aale warm aus dem Rauch kaufen kann.

Rechts oben: An der Schlei, einem Binnengewässer mit Zugang zur Ostsee, liegt die ehemalige Residenzstadt **Schleswig,** die in ihren Anfängen auf das legendäre Haithabu zurückreicht.

Rechts unten: Zwischen 1910 und 1913 entstand die Eisenbahnbrücke über den **Nord-Ostseekanal,** dem meistbefahrenen Schiffahrtsweg der Welt.

Above: The picturesque narrow streets of **Eckernförde** make this town a favourite among the visitors to Schleswig-Holstein. Fresh fish are delivered daily from the local trawlers to the numerous cureing chambers. Kippers, Mackerels and Eels can be bought straight from the oven.

Right (above): The original capital, **Schleswig,** stands on the banks of the Schlei, an inland waterway open to the Baltic sea. Schleswig's origin reaches back to the legendary days of Viking Haithabu.

Right (below): It took from 1910 until 1913 to build this railways bridge across the most frequently navigated waterway in the world, **Kiel Canal.**

Schleswig

Schleswig ist eine besondere Stadt. Nicht nur, daß sie in den Jahrhunderten der wechselvollen Geschichte zwischen Dänemark und derer von Schauenburg hin- und herpendelte. Als Nachfolgerin der sagenumwobenen Wikingerstadt Haithabu blickt sie auch auf ein schönes Stück Vergangenheit zurück. Einstmals war Schleswig im Mittelalter nach Haithabu Sitz des Bischofs und glanzvolle Residenz der Herzöge von Schleswig.

Den Pfaden der alten Heerwege folgend, die die Hauptverbindung zwischen Mitteleuropa und dem skandinavischen Norden darstellten, durchschneiden heute die Betonpisten der Europastraße 3 das Land und führen an Schleswig vorbei. Doch lohnt es sich, die schnelle Fahrt nach Norden zu unterbrechen und Schleswig einen Besuch abzustatten. Die Stadt besitzt einen der vollständigsten Gebäudekomplexe mittelalterlicher Bettelordensarchitektur in Nordeuropa: das nach der grauen Kutte der Mönche volkstümlich „Graukloster" genannte Klostergebäude der Franziskaner. Nach der Stiftung des Ordens kamen die Mönche bereits 1234 nach Schleswig und errichteten hier im Verlauf von über drei Jahrhunderten eine Klosteranlage, die in wesentlichen Bestandteilen bis heute ihre ursprüngliche Struktur bewahrt hat.

Für den Gourmet ist es die Zeit um Mai/Juni, die zum Verweilen lockt. Es ist nicht das große Diner unter silbernen Leuchtern, auch nicht eine ganz besondere Hausmacherkost dieser Monate. Nein, es reizt ihn eine kleine Spezialität, die einst alljährlich – per Post – dem gekrönten Staatsoberhaupt zum Geschenk gemacht wurde, nach dessen Abgang auch dem jeweiligen Staatsoberhaupt der Republik. Es handelt sich um nichts anderes als – Möweneier.

Die Möweninsel in der Ostseeförde Schlei, zu Füßen des 850 Jahre alten St. Petri Domes, mitten in der Stadt, ist die Brutkolonie Tausender jener eleganten Flieger, die laut Erich Kästner alle aussehen, als ob sie Emma hießen. Pünktlich zum 14./15. März eines jeden Jahres wird das kleine nackte Eiland von seinen Namensgebern in Besitz genommen.

Damit die freßgierigen Tiere der Spezies Lachmöwe – mit dem dunkelbraunen Kopf – sich nicht allzusehr vermehrten, veranstalteten die Schleswiger bis 1867 alljährlich einen zu einem wahren Volksfest ausartenden „Möwenpreis", bei dem sie mit knallenden Büchsern vom Himmel holten, was sie konnten. Die Lachmöwe zeigte, daß sie ihren Namen zu recht trägt. Sie ignorierte das regelmässige Massaker und brütete lustig weiter. Seither wurde man menschlicher und begnügte sich mit dem Absammeln der ersten Gelege und machte aus der Not der „Geburtenkontrolle" eine kulinarische Tugend.

Serviert wird die Delikatesse meist zu etwa einem halben Dutzend, mit Schwarzbrot und Butter, Kräuterbutter, Öl und Essig, Salz, Pfeffer und Senf, wobei der individuellen Gestaltung natürlich keine Grenzen gesetzt sind. Und wer die schleswigste aller Schleswiger Spezialitäten jemals kostete, wird sich immer wieder gern in einem der heimeligen Gasthäuser oder hübschen Restaurants der Schleistadt in stillem Vergnügen oder geselliger Runde dem Genuß des Möweneieressens hingeben.

Reizvoll anzuschauen ist die kleine Fischersiedlung am Holm, mit den winkligen Giebelhäusern aus früheren Tagen, den verschnörkelten Straßenlaternen und dem holprigen Kopfsteinpflaster. Das Prunkstück Schleswigs jedoch ist das imposante Schloß Gottorf, ehemals Residenz der Herzöge von Schleswig-Holstein-Gottorf. Heute ist die Schloßanlage auf der kleinen Insel im Burgsee Landesmuseum und Landesarchiv.

Der älteste Bau der Stadt ist der St. Petri-Dom. Ansgar, der „Apostel des Nordens", der von Hamburg aus seine Missionsreisen in den heidnischen Norden unternahm, ließ schon um 850 in Haithabu eine Missionskirche errichten. Nach dem Untergang der alten Wikingersiedlung wurde am nördlichen Schleiufer die Stadt neu gegründet und auch der Dom neu errichtet, der 1134 erstmals urkundlich erwähnt wurde. Der Dom mit seinem berühmten Schnitzaltar scheint über dem Wasser zu schweben. Er prägt die zauberhafte Silhouette der Stadt, die eine so reiche und wechselvolle Vergangenheit besitzt und ein wenig verschlafen wirkt, seitdem die Blechkolonnen der Nordlandreisenden sich nicht mehr durch die Stadt wälzen, sondern auf der neuen Europastraße vorbeirauschen.

Rechts: Das Panorama der Stadt **Schleswig** wird vom Schleswiger Dom geprägt. Die erste Missionskirche ließ Ansgar, der „Apostel des Nordens", bereits um 850 im alten Haithabu, der Wikingersiedlung, errichten. Nach dem Untergang Haithabus wurde mit der Neugründung der Stadt Sliaswich (Schleswig) auf dem nördlichen Schleiufer auch der Dom errichtet, der 1134 erstmals urkundlich erwähnt wurde.

Right: **Schleswig,** the ancient Sliaswich, is famous for its Cathedral, begun in the early 12th century and first documented in 1134. Schleswig was founded on the northern banks of the Schlei after the legendary Haithabu of the Vikings had been destroyed. Ansgar, "Apostle of the North" induced a missionary church about 850 A.D. in Haithabu, and in succession to this early christian settlement the Schleswig cathedral was built.

Oben und rechts: **Schloß Gottorf** war einst die Residenz der Herzöge von Schleswig-Holstein-Gottorf. Bereits in der zweiten Hälfte des 12. Jahrhunderts hatte sich der Bischof von Schleswig eine Burg bauen lassen, nachdem Schleswig am nördlichen Ufer der Schlei anstelle des zerstörten Haithabu neu gegründet worden war. Heute dient das Schloß als Landesmuseum und -archiv. Selbst eine gut erhaltene Moorleiche ist hier schaudernd zu besichtigen, ebenso das knapp 23 m lange **Nydamschiff** der Wikinger, das eine Besatzung von 40–50 Mann aufnehmen konnte.

Above and right: Schleswig was founded on the north shore of the Schlei during the second half of the 12th century after the legendary Haithabu had been destroyed. The bishop of Schleswig had a castle built on a small island in the middle of a lake: **Gottorf castle.** Later, the dukes and duchesses of Schleswig-Holstein-Gottorf lived here. Today the castle is used to house the province museum and archives. A well preserved corps taken from the moor can be viewed along with the 23 meter Viking **Nydamship** once crewed by 40–50 men.

Oben: Der 1521 vollendete Altar im **Schleswiger Dom** ist das Hauptwerk von H. Brüggemann, der sieben Jahre an diesem Werk arbeitete.

Rechts oben: Das neue „Wahrzeichen" von Schleswig, der nicht bei allen Schleswigern beliebte Wikingerturm.

Rechts unten: Die malerische Fischersiedlung Holm in Schleswig.

Umseitig (S. 60, oben): Tradition und Brauchtum werden liebevoll gepflegt: „Frunsbeer" in Nordhastedt.

Umseitig (S. 60, unten): Schiffsanleger in Glücksburg. Auf dem gegenüberliegenden Ufer liegt Dänemark.

Umseitig (S. 61): In **Haddeby,** unweit des untergegangenen Haithabu, steht diese Feldsteinkirche aus dem Ende des 12. Jahrhunderts.

Above: This magnificant altar in the **Schleswig cathedral** was completed in 1521. It took the craftsman H. Brüggemann and his assistants seven years to complete.

Right, top: Schleswig's new landmark, the "Viking Tower", does not receive equal approval among all Schleswigers.

Right, bottom: The picturesque fishing village Holm in Schleswig.

Overleaf (p. 60, top): Traditions and customs are lovingly cared for in "Frunsbeer" of Nordhastedt.

Overleaf (p. 60, bottom): Ship moorings in Glücksburg with Denmark in the background.

Overleaf (p. 61): This 12th century bolder church stands in **Haddeby,** not far from the lost Haithabu.

Flensburg und das Fördenland

Man erlebt in Flensburg eine Stadt, in deren Mitte, alles beherrschend, der Hafen liegt. Zu beiden Seiten steigen die bebauten Hänge an, von viel Grün belebt. Flensburg ist eine Stadt, die in ihrer Geschichte von zwei wesentlichen Faktoren geprägt ist: von ihrem Hafen, durch den sie vor dem Dreißigjährigen Krieg zur reichsten Handelsstadt der dänischen Krone geworden war, und eben von dieser engen Beziehung zu Dänemark. Überall in der Stadt kann man erleben, wie dicht deutsches und dänisches Kulturgut hier immer schon zusammengeknüpft war. Es ist nicht zuletzt der Flensburger Rum, der den Namen der Stadt bekannt und berühmt gemacht hat, und auch das hat etwas mit dem Hafen und etwas mit Dänemark zu tun. Denn Flensburger Kaufmannsschiffe waren es, die bereits im 18. Jahrhundert zu den dänischen Kolonien in Westindien segelten, um von dort den köstlichen Zucker nach Kopenhagen und sein „Nebenprodukt", den Rum, nach Flensburg zu bringen. Die schönen Fassaden großbürgerlicher Häuser und die restaurierten alten Kaufmannshöfe zeugen von einer Epoche dieser Stadt, in der sie Welthandel betrieb. Seit 1920 ist Flensburg Grenzstadt. Dänemark beginnt 3 km nördlich vom Nordertor. Aber die Grenze ist kein politisches Problem mehr, und wo man sich im vorigen Jahrhundert um die „Schleswigsche Frage" noch blutig bekriegte, leben heute Deutsche und Dänen tolerant nebeneinander. Trotzdem haben sie es nicht ganz leicht, die Flensburger, denn die Lage der Stadt ist und bleibt verkehrsungünstig, und der Hafen ist auch nicht mehr das, was er zur Zeit der großen Segelschiffe war. Es gibt große Arbeitgeber, wie z. B. die Werft, es gibt sogar eine Bundesbehörde – das Kraftfahrtbundesamt mit seinem Punktemuseum – und es gibt die Bundeswehr. Flensburg ist eine der größten Garnisonsstädte, und wie zu Kaisers Zeiten wird der Offiziersnachwuchs der Marine in Mürwik ausgebildet – übrigens dort, wo im Mai 1945 die letzte deutsche Reichsregierung die Kapitulation erklärte. Vor 700 Jahren erhielt Flensburg das Stadtrecht, und 1984 feierten die Flensburger ihr großes Jubiläum. Im Juli 1984 wurde auch das neue Schiffahrtsmuseum in einem alten Zollpackhaus am Hafen eingeweiht. Zu diesem Anlaß trafen sich Großsegler aus aller Welt auf der Flensburger Förde, die ja als eines der schönsten Segelreviere Deutschlands gilt.

Schleswig-Holsteins Fördenland, die Ostseeküste, das sind 384 Kilometer Sandstrand, Steilküste und Naturstrände zwischen Glücksburg, Travemünde und der Insel Fehmarn. Würde man die Küstenlänge ins Binnenland verlegen, so reichte sie etwa von Hamburg bis mitten ins Ruhrgebiet oder von Kiel bis nach Kassel. Die Ostseelandschaft ist höchst unterschiedlich geprägt. Im Fördenland zwischen Glücksburg und Kiel überwiegen die naturbelassenen Strände mit den ländlichen Sommerfrischen gleich dahinter. Fixpunkte in diesem Bereich sind das Seeheilbad Glücksburg im Norden mit seinem schneeweißen Wasserschloß, sind Schönhagen, das Ferienzentrum Damp 2000 und das traditionelle Seebad Eckernförde mit seinem alten Fischerhafen. Malerisch ist auch der kleine Fischerhafen Maasholm an der Schleimündung geblieben. Vom Ostseebad Schwedeneck in der Eckernförder Bucht bis nach Kiel zieht sich eine jäh abfallende Steilküste hin – beim Spaziergang dort oben sieht man weit über die vielbefahrene Kieler Bucht. Laboe, am Ostufer der Kieler Förde, wird nicht nur durch seinen breiten, weißen Sandstrand, sondern auch durch das Marine-Ehrenmal und das Museums-U-Boot geprägt. Weiter östlich kommt man zu Bädern, die bereits unseren Großeltern wohlvertraut waren: Hohwacht, immer noch ein bißchen Fischerdorf (bei Hohwacht entstand allerdings auch das höchst moderne Ferienzentrum Weißenhäuser Strand), Heiligenhafen, der alte Fischerhafen mit dem neuen Ferienzentrum, Großenbrode, Dahme und Kellenhusen. In der Lübecker Bucht gehen die Bäder manchmal unmerklich ineinander über, und doch hat jedes seinen unverkennbar eigenen Stil. Da ist Grömitz, das größte deutsche Seebad, Timmendorfer Strand mit seinen Sportanlagen und seinen großzügigen Hotels, Scharbeutz/Haffkrug, wo Wald und Sand ineinander übergehen, da ist Sierksdorf mit dem quirligen Freizeitpark „Hansaland" oder Neustadt/Pelzerhaken, wo man auch am Strand saunen kann. Elegant wie eh und je präsentiert sich Travemünde vor den Toren Lübecks.

Rechts: Glücksburg ist das nördlichste Ostseebad Schleswig-Holsteins. 1582 entstand an der Stelle eines säkularisierten Klosters das **Schloß Glücksburg** der Herzöge von Holstein, das als schönstes Wasserschloß Deutschlands gilt. Nach dem Aussterben der Glücksburger verlieh Friedrich VI. 1825 das Schloß dem Herzog von Schleswig-Holstein-Sonderburg-Beck, heute ein Museum.

Right: **Glücksburg** is the most northerly Baltic resort in Schleswig-Holstein. Its water castle is recognized as the most beautiful in Germany. The origin dates back to 1582 when it was built on the site of a secularized monastery. When the Glücksburgers died out in 1825, Friedrich VI. presented the castle to the Duke of Schleswig-Holstein-Sonderburg-Beck. Today it houses a museum.

Wo de Nordseewellen...

Grün ist die bäuerliche Marschenlandschaft hinter Nordfrieslands Deichen, grün und flach. So flach, daß man schon morgens sieht, wer abends zu Besuch kommt – sagen die Einheimischen.

Im Winter tosen die Stürme von der See her mächtig über die Marschenwiesen. Nicht ohne Grund haben die typischen Häuser Nordfrieslands tief heruntergezogene Reetdächer: Sie bieten Schutz vor dem Wind, wirken gleichzeitig wie eine Klimaanlage.

Nordfriesland – das sind auch die Inseln, das ist natürlich auch Sylt mit seinen vielfältigen sommerlichen Extravaganzen.

Langweilig kann so ein Aufenthalt auf dem Lande hinterm Deich eigentlich kaum werden. Es gibt ja nicht nur die nahe Nordsee, nicht nur viele Möglichkeiten zum Reiten oder Angeln, nicht nur Heimatmuseen und die kleinen Eiderstedter Kirchen, sondern im Sommer auch so bodenständige Vergnügen wie das Klotstockspringen, die vielen Ringreiterfeste oder das Gästeboßeln. Bei Tönning wurde 1983 die neue Freizeitlandschaft Katinger Watt eröffnet. Dort werden die ganze Saison hindurch naturkundliche Wanderungen angeboten. Das Naturzentrum in Bredstedt veranstaltet Führungen und Wanderungen durch die Heide, rund um Vogelschutzgebiete und durchs Watt. Bauernhöfe laden zum „Milchfrühstück" ein...

Wobei wir beim Essen in Nordfriesland wären. Auch da gibt es für den Besucher viel zu entdecken und zu „erschmecken". Den typischen „Mehlbeutel" zum Beispiel kocht ein Gastwirt in dem kleinen Tetenbüll im Sommer regelmäßig einmal pro Woche. Ein Gericht zum Träumen. Teepunsch, Eiergrog und Pharisäer aber könnte man schon fast für eine Weltanschauung halten.

Um das ländliche Nordfriesland auch da zu entdecken, wo es eigentlich am urigsten ist – das winzige Dorf, die klitzekleine Gastwirtschaft von Oma Andresen hinterm Deich, die nur aus einer einzigen Stube besteht. Mit dem Biikebrennen am Vorabend des Petritages (22. Februar) feiern die Menschen auf den Nordfriesischen Inseln und Halligen seit altersher das Ende der dunklen Jahreszeit. Wenn dann die mächtigen Holzstapel heruntergebrannt sind, das opulente Grünkohlmahl verdaut, der Kater ausgeschlafen ist, rüsten sich die Inseln und Halligen auf die neue Saison.

Sylt, die nördlichste deutsche Insel, wird Jahr für Jahr im Winter schwer von Sturmfluten bedrängt, doch alljährlich schwemmen die Frühjahrsstürme auch wieder feinsten Sand an die Küsten. **Sylt** hat viele Gesichter. Der eine schätzt den Trubel Westerlands, der andere die Idylle der Dörfer an der Wattseite der Insel. Kampen gilt als am schicksten, Wenningstedt eher als Familienbad. Für Naturfreunde ist das Seevogelschutzgebiet bei Rantum besonders reizvoll, und die Lister Dünenlandschaft ist in Deutschland ohnegleichen.

Das Bild der Insel **Amrum** bestimmen Dünengebirge, unverbaute Heideflächen und Kiefernwäldchen, gepflegte Friesendörfer. Ein Hochhaus wird man auf Amrum vergeblich suchen. Auch Trubel und Nachtleben gibt es nicht. Stundenlang kann man auf dem Friedhof von Nebel stehen und die Inschriften der Grabplatten studieren, die das Leben der alten Walfangkapitäne erzählen. Einen ähnlich „lebendigen" Friedhof findet man in Nieblum, dem „schönsten Dorf" der **Frieseninsel Föhr**. Grüne Insel wird das bäuerliche Föhr auch genannt.

Flach und grün erhebt sich die Bauerninsel **Pellworm** aus dem Meer. Das Auto sollten Pellworm-Urlauber möglichst auf dem Festland stehen lassen und aufs Fahrrad umsteigen. Dazu sind die guten, wenig befahrenen Straßen wie geschaffen. Auf **Nordstrand** ist es am schönsten im Mai, wenn bis zum Horizont die Rapsfelder goldgelb blühen, wenn die Insel ihr Festkleid angelegt hat. Nordstrand ist durch einen vier Kilometer langen Autodamm mit dem Festland verbunden. Vom Deich sieht man bis zu den Halligen hinüber. Wattenfahrten zur **Hallig Südfall** unternimmt man mit Pferd und Wagen.

Urlaub kann man auf Südfall allerdings nicht machen, dazu ist die Hallig zu winzig. Am ursprünglichsten erlebt der Gast diese winzigen Bastionen im Wattenmeer, wenn er sie außerhalb der Sommermonate besucht, dann, wenn das Meer und der Sturm, die Sonne und der Regen, wenn Ebbe und Flut dominieren – wenn die Natur den Menschen ihre Macht spüren läßt.

Umseitig (S. 64/65): Flensburg, die Grenzstadt zu Dänemark, wird durch die 34 km lange Förde mit der Ostsee verbunden. Seit 1920 gehört das nördliche Ufer der Förde zu Dänemark.
Rechts: Das Nordertor in **Flensburg** gehört zur ehemaligen Stadtummauerung. Der zweistöckige Backsteinbau stammt aus dem Ende des 16. Jahrhunderts.

Overleaf (p. 64/64): A 34 kilometre fjord connects the border town of **Flensburg** with the Baltic. The Flensburg fjord is justifyably known as the sailors paradise of Germany.
Right: The North Gate of Flensburg (Nordertor) is part of the old town wall. The two story brick building was built in the latter part of the 16th century.

Oben und rechts: Ob hoch zu Roß oder per pedes mit kurzen Hosen beim **Wattwandern:** Die Nordsee besitzt ihre eigenen Reize.
Umseitig (S. 70 und 71): Der Deutschen liebste Insel ist **Sylt,** wobei die Bezeichnung ,,Insel'' gar nicht mehr zutrifft. Als Insel entstand sie bei der großen Sturmflut von 1362. Mit dem Festland wurde Sylt 1927 durch den 11 km langen Hindenburgdamm verbunden. Diese herrlichen Dünen (S. 70) findet man bei List. Das Rote Kliff von Kampen (S. 71) ist das Wahrzeichen der Insel.
Umseitig (S. 72/73): Grüne Marschen, blauer Himmel und weiße Wolken kennzeichnen das so schöne Land der Nordfriesen.

Above and right: The North Sea has its own attractions. Either on horseback or by foot, an excursion into the **mud flats** can be very stimulating.
Overleaf (p. 70 and 71): **Sylt,** Germany's most popular island, is really a peninsula. The island which was created by an exceptional flood catastrophe in 1362 was reconnected to the mainland by the 11 km long Hindenburg Dam in 1927. The sand dunes of List (p. 70) are favoured by nature lovers, while the Red Cliff of Kampen (p. 71) is the island's landmark.
Overleaf (p. 72/73): Tranquil country side with green marshland, blue skies and bright clouds characterize the Friesian land of dreams.

Reiseziele

Schulau, die Hamburger Schiffsbegrüßungsanlage „Willkomm-Höft", liegt gar nicht in Hamburg, sondern in Schleswig-Holstein. Täglich von 8 Uhr morgens bis Sonnenuntergang wird jedes ein- und auslaufende Schiff über 500 BRT in der jeweiligen Landessprache und mit seiner Nationalhymne begrüßt.

Glückstadt an der Elbe war einmal die dänische Konkurrenz zu Hamburg. Die Dänen hatten die Stadt 1616 den Hanseaten vor die Nase gesetzt. In einem leichten Bogen erstreckt sich längs des Glückstädter Hafenbeckens eine der schönsten Uferstraßen Schleswig-Holsteins.

Helgoland, die ehemals britische Insel, war schon bei unseren Großeltern als Ausflugsziel beliebt. Die Geschichte der knapp 100 Hektar großen Insel hört sich wie ein Kriminalroman an. 1807 hatten die Briten sie den Dänen abgenommen. Während der von Napoleon verhängten Kontinentalsperre war sie Zentrum des Schwarzhandels und der Spionage. Durch den Helgoland-Sansibar-Vertrag vom 1. 7. 1890 fiel die Insel an das Deutsche Kaiserreich. Nach dem II. Weltkrieg diente Helgoland der Royal Air Force zunächst als Übungsziel und sollte durch eine Großsprengung am 18. 4. 1947 völlig vernichtet werden. Schwer angeschlagen widerstand „Heiligland" dem Inferno. Nur ein Teil der Steilküste stürzte ein, und im Oberland entstand ein tiefer Einsturzkrater. Helgoland ist die Heimat des Deutschlandliedes, denn hier schrieb Hoffmann von Fallersleben 1841 sein „Deutschland über alles...". Und Hans Albers, der blonde Junge von der Waterkant, verdiente sich mit 20 Goldmark seine ersten Gagen im „Helgoländer Residenztheater". Der schwedische Dramatiker August Strindberg war von der Insel so angetan, daß er hier heiratete – und das gleich viermal! Denn Helgoland war im 19. Jahrhundert sozusagen das Gegenstück zu Gretna Green, wo Paare sich ohne allzuviel Bürokratie und Wartezeit trauen lassen konnten.

Die Halligen im nordfriesischen Wattenmeer, die durch die große Sturmflut von 1362 gebildet wurden, sind ein sehenswertes und nicht alltägliches Ausflugsziel. Nur neun Halligen sind bewohnt. Die Häuser stehen auf vier bis fünf Meter hohen künstlichen Erdhügeln, den sogenannten Warften, und oft genug heißt es „Land unter", wenn der Blanke Hans die Halligen überflutet. „Schwimmende Träume im Meer" nannte der große norddeutsche Dichter Theodor Storm die Inseln und Halligen im Uthlande – im Außenland vor der Küste.

Glücksburg liegt am nördlichsten Ostsee-Zipfel der Bundesrepublik, an der Flensburger Förde. Hier beginnt das Fördenland der Ostsee. Markantestes und attraktivstes Baudenkmal der Stadt ist das imposante Glücksburger Wasserschloß, eine der schönsten im Renaissancestil erbauten Wasserburgen Deutschlands. Das Schloß war einst Stammhaus der Könige von Dänemark, Norwegen und Griechenland.

Das Danewerk war ein etwa 30 km langes Befestigungswerk bei Schleswig, das der Dänenkönig Godfred 808 gegen Karl den Großen errichtete. Es ist zu einem Drittel noch gut erhalten. Am Haddebyer Moor entstand das Wikinger-Museum mit Funden aus der Wikingerzeit und dem legendären Haithabu. Prunkstück ist ein 22 Meter langes Wikingerboot, das aus dem Schlick des Moores geborgen und dort aufgestellt wurde.

Die Schleswig-Holsteinische Seenplatte hat außer den rund 140 großen und kleinen Seen auch noch einen Berg: den Bungsberg, mit 168 Metern die höchste Erhebung Schleswig-Holsteins. Alpine Skiexperten mögen es für einen Witz halten, aber Ski-Urlaub in Schleswig-Holstein ist durchaus kein Aprilscherz, und der Bungsberg besitzt sogar einen Skilift. „Holsteinische Schweiz" nannte ein findiger Gastwirt das Land der Seen um Malente-Gremsmühlen, als es als *chic* galt, seine Ferien in der Schweiz zu verbringen. Ein anderer Kneipier griff die Idee auf und taufte 1885 sein Hotel am Kellersee „Holsteinische Schweiz". Selbst die nahegelegene Bahnstation erhielt diesen Namen und bald darauf die ganze Landschaft, die von knorrigen Eichen, bunten Laubwäldern und einem harmonischen Gleichklang malerischer Seen geprägt ist.

Insel Fehmarn war einst der „sechste Kontinent" – zumindest für die Fehmarner, denn zu Großvaterszeiten, als es noch keine Fehmarnbrücke und keine Vogelfluglinie gab, fuhren die Insulaner „na Europa", wenn sie mit der Fähre den Fehmarnsund zum „europäischen" Festland überqueren. Und mancher Uralt-Fehmarner mag auch heute noch den „Knus" für einen eigenen Erdteil halten.

Rechts: **„Growian"** heißt die „Große Windkraftanlage" für umweltfreundliche Energiegewinnung bei Brunsbüttel, die 1985 als Versuchsanlage wieder stillgelegt wurde.
Umseitig (S. 76): Ein anderes technisches Wunderwerk ist das **Eidersperrwerk** bei Meldorf, das bei Flutgefahr Überschwemmungskatastrophen früherer Jahre verhindern soll.
Umseitig (S. 77): Heimkehrende Krabbenkutter.

Oben und rechts: Die ,,grüne Insel'' wird **Föhr** genannt. Nur 6 Kilometer ist die Insel vom Festland entfernt, von wo die Fährschiffe der Wyker Dampfschiffreederei Urlauber und Einheimische auf die Insel bringen. Liebevoll gepflegte Fischerhäuser und anmutige Festtrachten, in denen ,,seute Deerns'' stecken, begegnet man auf dieser schönen, vielbesuchten Insel. *Umseitig (S. 80 und 81):* Typisch für das Land sind die reetgedeckten Bauernkaten wie hier in **Eiderstedt** (S. 80, unten), die liebevoll gehegten Storchennester (S. 81 in **St. Peter-Ording**) oder die malerischen Giebel alter Häuser in **Friedrichstadt,** der ,,Stadt der Rosen und Linden'' im Mündungswinkel von Eider und Treene (S. 80, oben).

Above and right: The green island of **Föhr** can be reached by taking the Wyker ferry boat to cross the short distance of 6 kilometres from the mainland. The idyllic nature of the island, well kept fisherman's cottages, charming young ladies in their traditional dresses and the quaint habits of its population provide for recreative and relaxing holidays.
Overleaf (p. 80 and 81): Some typical scenes for the region are these thatch-roofed farm houses in **Eiderstedt** (p. 80, bottom). The storks nests built with care and devotion can be seen in **St. Peter-Ording** (p. 81). The picturesque gable ends of the old houses of **Friedrichstadt** (p. 80, top) are located in the ''City of roses and lime-trees'', where the waters from the Eider and Treene join together.

78

Seite 82–87: Eine kleine Insel ist **Helgoland,** nur knapp einen Quadratkilometer groß. Dennoch gibt es kein anderes Urlaubs- und Ausflugsziel in Europa, zu der eine solche Armada von Schiffen im Sommer in See sticht wie Helgoland. Nicht einmal Capri kann da mithalten.
Umseitig (S. 84): Zehntausende von Zugvögeln machen im Herbst Station auf Helgoland. Hier der berühmte **Lummenfelsen,** auf dem die Lummenpaare brüten und ihre Jungen aufziehen.
Umseitig (S. 85): Der rote Felsen, die **„lange Anna",** ist das Wahrzeichen der Insel.
Umseitig (S. 86): Auf Helgoland herrscht Zollfreiheit. Da lohnt schon einmal ein Bummel durch die Geschäftsstraßen.
Umseitig (S. 87): Strandleben auf der Helgoländer Düne.

Pages 82–87: Although the island of **Helgoland** is less than one square kilometre in size, an armada of cruise ships, liners and excursions boots set sail and steam towards its cost line every summer. Not even Capri can boast such popularity.
Overleaf (p. 84): Ten thousands of migrating birds call on Helgoland each year. The famous **guillemot-rock** (Lummenfels) is a favourable breeding ground for their young.
Overleaf (p. 85): The red rock **"Lange Anna"** is the impressive symbol of the island.
Overleaf (p. 86): Duty free shopping attracts the tourists into stocking up before returning to the mainland.
Overleaf (p. 87): Enjoy the sun from one of the many beach chairs in the dunes of Helgoland.

Die Menschen

Nicht nur den Hamburgern, auch den Schleswig-Holsteinern sagt man nach, daß sie ein wenig ssteif sind und es eine geraume Weile dauert, bis man mit ihnen warm geworden ist. Sicher, das mag früher so gewesen sein, als die Menschen isoliert auf den Inseln, den Halligen und den weitverstreuten Höfen weniger Kontakt zu ihren Mitmenschen hatten, als anderswo. Hart war das bäuerliche Leben in Schleswig-Holstein, entbehrungsvoll der Broterwerb, und die vielen Fremden in den langen Auseinandersetzungen taten ein übriges, daß sich die Menschen etwas abkapselten. Insbesondere nach dem II. Weltkrieg hat sich dieses Bild jedoch stark gewandelt. Nur die Hälfte aller in Schleswig-Holstein lebenden Menschen ist hier auch geboren. 1,2 Millionen Flüchtlinge und Ausgebombte strömten in den letzten Kriegswochen nach Schleswig-Holstein und gingen in der Bevölkerung auf. Auf sieben Einheimische kamen damals sechs Fremde, die heute keine Fremden mehr sind. Sie brachten ihre Kultur, ihre Sitten und Gebräuche mit aus Schlesien, aus Ostpreußen, Pommern und Mecklenburg. Sie wurden nicht immer freundlich aufgenommen in jener Zeit, doch sie gingen auf in einem Land, das ihnen zur zweiten Heimat wurde.

Die Schiffbrüchigen, Ausgebombten, Heimatvertriebenen bedeuteten eine ethnische und kulturelle Bereicherung für die Alteingesessenen. „Uns Schleswig-Holsteinern ist diese Zuwanderung im Ergebnis gut bekommen", sagte der damalige Ministerpräsident, Gerhard Stoltenberg – gewiß ein Understatement.

Der „große Kühle aus dem Norden" ist nicht der einzige Prominente, der in Schleswig-Holstein das Licht der Welt erblickt hat. Von Theodor Storm, dem großen Lyriker, weiß man, daß er in Husum geboren wurde. Die schlichte Innigkeit seiner Verse und ihre wehmütige Stimmung spiegeln auch seine Liebe zur norddeutschen Heimat wider. Auch Thomas Mann mit seinen „Buddenbrooks" ist als Lübecker Patriziersohn bekannt. Wer aber vermutet schon, daß Carl Maria von Weber 1786 in Eutin und Emil Nolde, der Hauptmeister des deutschen Expressionismus, 1867 in Nordfriesland geboren wurde? Begründer der niederdeutschen Lyrik ist der in Heide (Dithmarschen) 1819 geborene plattdeutsche Dichter Klaus Groth. Ebenfalls in Dithmarschen war Friedrich Hebbel zuhause, und auch Matthias Claudius, 1815 in Reinfeld (Stormarn) geboren, gehört zu den Nordlichtern. Sein Urenkel, der Schriftsteller Hermann Claudius aus Langenfelde bei Altona, gelangte über die niederdeutsche Lyrik zum volksnahen Lied.

Die prominenten Schleswig-Holsteiner der heutigen Generation sind eher volkstümlich. „Uns Uwe", Deutschlands Fußball-Idol der 60er und 70er Jahre und Ehrenspielführer der Nationalmannschaft, hat sich vor den Toren Hamburgs in Nordestedt niedergelassen. Knut Kiesewetter, Fiete Kay und Hannes Wader, die modernen Barden der Neuzeit, versuchen, das Niederdeutsche mit ihren Liedern und Gesängen wachzuhalten. Denn die heimatliche Mundart, das Plattdeutsche, wurde durch den Zustrom der Landsleute aus dem Osten mehr und mehr zurückgedrängt. Sprach man auf dem Lande und auf den Inseln früher fast ausschließlich platt, müssen die Kinder heute auf der Schule die Sprache ihrer Väter erst wieder lernen. Einer der wenigen Altmeister der plattdeutschen Sprache, der Volkssänger Hein Timm, wohnte – nur einen Steinwurf von der Alsterquelle entfernt – auf holsteinischem Boden. Er starb – 76 jährig – im Mai 1985 auf der Bühne. Hunderte von Titeln hat er komponiert und gesungen, über 900 Gedichte hat er verfaßt und mehrere plattdeutsche Bücher geschrieben, was ihm zwei goldene Schallplatten und die Verdienstmedaille des Bundesverdienstordens einbrachte. Eines seiner letzten Lieder war eine Liebeserklärung des geborenen Hamburgers und Wahlholsteiners an seine Heimat in Schleswig-Holstein:

> Wi sünd ut Sleswig-Holsteen,
> bi uns, dor snackt man platt;
> wie sünd ut Sleswig-Holsteen,
> bi uns gifft dat for jeden wat.
> Mang Nordsee un de Ostsee,
> dor liggt dat Land in Greun;
> de Wind de geiht von Lu no Lee –
> uns Heimat is so scheun!
> Wi sünd ut Sleswig-Holsteen
> wo de Sünn schient
> un gifft dat Stormgebruus.
> Uns Hart sleiht for ditt scheune Land,
> un hier sünd wi to Huus!

Eeten un Drinken

Paul Bocuse hat bei der Schleswig-Holsteiner Küche sicherlich nicht Pate gestanden, und Trüffel oder Kaviar stehen auch nicht unbedingt auf der Speisekarte. Zu schwer war die Arbeit der Moorbauern beim Torfstechen, zu entbehrungsreich der Kampf der Fischer mit den Naturgewalten des Meeres, so daß deftige Hausmannskost und kräftige Suppen, in die nicht mehr Augen hinein als (Fettaugen) herausguckten, auf dem rustikalen Mittagstisch standen.

Die ursprüngliche Küche Schleswig-Holsteins war nicht sehr abwechslungsreich, dafür aber geeignet, hungrige Mäuler satt zu kriegen. Das Ursprüngliche, Rustikale hat sich in die heutige Zeit hinübergerettet, wenn auch die Kalorienbomben früherer Jahrhunderte nur noch in einigen Urrezepten erhalten geblieben sind. Natürlich ist auch die Vielfalt der Küchengeheimnisse gestiegen, insbesondere durch die Bereicherung des Speisezettels mit exotischen Früchten und Gemüsesorten. Doch von denen soll hier nicht die Rede sein. Dieses Kapitel soll den Leser an die Genüsse heranführen, die sich manchmal vielleicht „'n büschen gediegen" anhören, aber dem Kenner und Liebhaber ebensolche Gaumenfreuden vermitteln, wie Austern, Champagner und andere Chochonnerien der High Society.

Wer dat mach, de mach dat,
wer dat nich mach,
de ward dat wohl nich mögen,

heißt die plattdeutsche Übersetzung des französischen Chacun à son goût – jedem das Seine. Natürlich gibt es auch noch rezeptmäßige Unterschiede in der Landschaft. Die Tafelfreuden in Lübeck unterscheiden sich von denen in Dithmarschen, denn Lübeck war auch vor 500 Jahren schon Treffpunkt von Kaufleuten aus vieler Herren Ländern, Hochburg der Gastronomie. Es gibt heute noch einige Restaurants, in denen man originalgetreu wie vor 500 Jahren tafeln kann, wie zum Beispiel im „Schabbelhaus", dem wohl berühmtesten Speisetempel, in der Mengstraße in Lübeck. Eine besondere Spezialität der Lübecker, die im 15. Jahrhundert aus dem Orient in die Hansestadt kam, ist das „Markusbrot", das Marzipan. Marci panis hieß es lateinisch und wurde vier Jahrhunderte als Arzeimittel nur in Apotheken verkauft. Von Lübeck eroberte die Masse aus Zucker und Mandeln im 19. Jahrhundert die ganze Welt.

Nicht für jeden Magen, aber dennoch ein Genuß ist der Dithmarscher Mehlbeutel, auch Groten Hans oder Opas Mehlbütel genannt – die Rezepte und Bezeichnungen ändern sich je nach Gegend. Er besteht aus einem Mehlteig mit vielen Eiern, der zusammen mit geräucherter Schweinebacke oder Kochwurst in einem Leinenbeutel solange gekocht wird, bis der Rauchgeschmack in den Teig eingezogen ist. In Scheiben geschnitten wird er dann mit Backobst (Backpflaumen, Dörrobst und Rosinen) gegessen.

Fast eine Arznei und ideales Mittel gegen Husten, Schnupfen, Heiserkeit ist die Fleederbeernsupp mit Klümp. Fliederbeersaft (Holunderbeeren) wird mit einer Zitronenschale, mit oder ohne Sago, mit Apfelscheiben oder auch Quitten aufgekocht und mit Zucker gesüßt. Dazu kommen Grieß- oder Mehlklöße. Man muß schon viel Glück haben, ein Restaurant zu finden – meistens auf dem Dorf – um solche Rezepte zu genießen.

Hamburger und Schleswig-Holsteiner streiten sich, wer wohl das Labskaus erfunden hat, jene deftige Seemannkost, die früher von den Schiffsköchen aus allen Resten zusammengekocht wurde, die es an Bord gab. Neben Salzheringen und Kartoffeln enthält Labskaus als Hauptbestandteil Rauchfleisch.

„Rum mutt, Zucker kann, Water is nich nötich" – das Rezept von der Waterkant für einen ssteifen Grog ist auch im fernen Bayern inzwischen bekannt. Was aber ein „Pharisäer" ist, muß vielleicht erläutert werden. Vor etwa 100 Jahren fand in einem Bauernhaus auf der Insel Nordstrand eine Kindtaufe statt. Nachdem der Pastor seine Amtshandlung erfüllt hatte, gab es Kaffee und Kuchen. Nur auf den Schnaps mußte man in Gegenwart des Pastors verzichten. Der schlaue Gastgeber wußte sich aber zu helfen: statt Kaffee ließ er einen guten Schluck Rum mit in die Tasse gießen und, damit der Rum nicht verräterisch riecht, eine Sahnehaube oben darauftun. Nur der Pastor erhielt „echten" Kaffee. Das ging eine ganze Weile gut. Der Konsum von „Kaffee" stieg ständig, die Stimmung wurde immer gelockerter, bis daß der Pastor eine „falsche" Tasse vorgesetzt bekam. Er probierte, genoß und schmunzelte: „Ihr seid mir schöne Pharisäer!" Geboren war der heiße, köstliche Friesentrank.